KU-120-560

Tomos Llygoden y Theatr a'r Nadolig Gorau Erioed

Caryl Parry Jones
a Craig Russell

LLUNIAU
Leri Tecwyn

I Teddy a Henry

Argraffiad cyntaf: ⓗ Gwasg Carreg Gwalch 2019
ⓗ testun: Caryl Parry Jones/Craig Russell 2019
ⓗ darluniau: Leri Tecwyn 2019

Cedwir pob hawl.
Ni chaniateir atgynhyrchu unrhyw ran o'r cyhoeddiad hwn,
na'i gadw mewn cyfundrefn adferadwy, na'i drosglwyddo
mewn unrhyw ddull na thrwy unrhyw gyfrwng, electronig, digidol, electrostatig,
tâp magnetig, mecanyddol, ffotogopïo, recordio, nac fel arall,
heb ganiatâd ymlaen llaw gan y cyhoeddwyr, Gwasg Carreg Gwalch,
12 Iard yr Orsaf, Llanrwst, Dyffryn Conwy, Cymru LL26 0EH.

Rhif Llyfr Safonol Rhyngwladol:
978-1-84527-715-4

Cyhoeddwyd gyda chymorth Cyngor Llyfrau Cymru.

Cyhoeddwyd gan Wasg Carreg Gwalch,
12 Iard yr Orsaf, Llanrwst, Dyffryn Conwy, Cymru LL26 0EH.
Ffôn: 01492 642031
e-bost: llyfrau@carreg-gwalch.cymru
lle ar y we: www.carreg-gwalch.cymru

Argraffwyd a chyhoeddwyd yng Nghymru

Helô, ffrindiau!

Tybed ydach chi'n teimlo mor gyffrous â ni'n dau?
Ydach chi? Wel, pam tybed ...?
O! Wrth gwrs, mae'r **Nadolig** yma
ac rydan ni wedi gwirioni'n lân.
Ac ydach chi'n gwybod pwy arall
sy wrth eu bodd hefo'r Nadolig?
LLYGOD, yn enwedig Tomos a'i ffrindiau.
Gobeithio y gwnewch chi fwynhau'r stori yma
am un Nadolig arbennig iawn i'n ffrind bach blewog,
ond yn fwy pwysig, ein ffrind bach caredig.

Nadolig Llawen, ffrindiau!
Caryl a Craig

Un Noswyl Nadolig yn y theatr,
ar ôl i berfformiad y Panto blynyddol orffen,
dywedodd y cast, Mr Meilir y Rheolwr
a Feiolet y Ddynes Lanhau
"Nadolig Llawen!" wrth ei gilydd

ac wrth y llygod i gyd,
cyn ei throi hi am adre
ac at eu teuluoedd.

Cafodd y llygod fodd i fyw wrth gasglu'r
holl fferins a chnau a chreision
oedd wedi eu gollwng ar y llawr

– jest y peth ar gyfer gwledd Nadolig,

ac roedd y papurau fferins gloyw'n berffaith i wneud trimins i'w tyllau!

Roedd Tomos yn rhoi help llaw i
Mr Noel y Gofalwr, achos roedd Mr Noel
yn gweithio'n galetach na neb.

"Be dach chi am neud diwrnod Dolig, Mr Noel?" gofynnodd Tomos.

“Dim.
Ma fe fel unrhyw ddiwrnod arall, on’d yw e?

O, aros funed ...
ges i bîns ar dost llynedd fel trît bach."

"Bîns ar ..." Doedd Tomos ddim yn ei gredu. Ac eto doedd Mr Noel ddim yn un am ddweud celwydd. "Wel, lle fyddwch chi'n treulio'r Nadolig eleni 'ta, Mr Noel?"

"Nunlle."

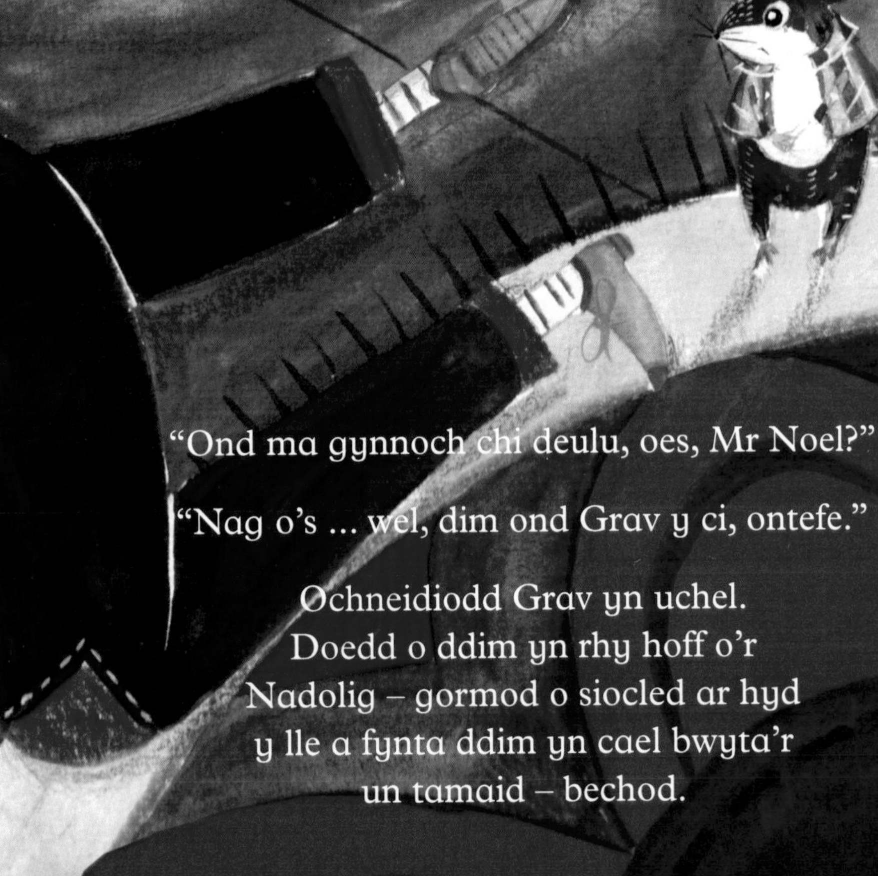

"Ond ma gynnoch chi deulu, oes, Mr Noel?"

"Nag o's ... wel, dim ond Grav y ci, ontefe."

Ochneidiodd Grav yn uchel.
Doedd o ddim yn rhy hoff o'r
Nadolig – gormod o siocled ar hyd
y lle a fynta ddim yn cael bwyta'r
un tamaid – bechod.

“Ffrindia ’ta. Ma’n rhaid bod gynnoch chi ffrindia.”
“O’s. Fan hyn. Yn y theatr.”

"Ond mae pawb o fama'n mynd adra at eu teuluoedd ..." gwichiodd Tomos yn bryderus.

"Odyn, odyn," atebodd Mr Noel gyda gwên fodlon. Meddyliodd Tomos ddyn mor arbennig oedd Mr Noel, yn falch dros bawb arall er nad oedd ganddo deulu ei hun.

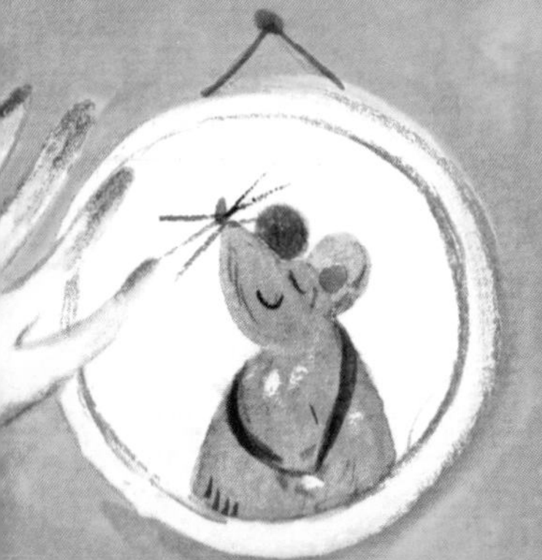

Yna fe drawyd Tomos gan rywbeth arall ...

"Ym ... esgusodwch fi'n gofyn ond ... ydach chi'n cael anrhegion, Mr Noel?"

"Jiw jiw, nagw i.
Wi'n rhy hen ar gyfer nonsens fel 'na 'chan."
Ac i ffwrdd â fo dan chwerthin a dymuno
Nadolig Llawen i'w gyfaill blewog,
a oedd yn sydyn iawn yn teimlo'n drist
a digalon. Mr Noel, druan.
Beth allai Tomos ei wneud er mwyn rhoi
Nadolig i'w gofio iddo fo?

Fel seren wib, daeth syniad ardderchog
i feddwl Tomos.

"Aha! Dwi'n gwybod," dywedodd wrth ...
wel, neb, achos fel rydan ni'n gwybod,
roedd pawb wedi mynd adre.
Ond rhag ofn bod 'na glustiau'n gwrando
yn rhywle, penderfynodd feddwl am ei
syniad ardderchog yn lle ei ddweud yn uchel.

Dwi am guddio ym mhoced Mr Noel,
wedyn bore fory, bore dydd Nadolig,
dwi am neidio allan ohoni a gweiddi
'SYPRÉIS!'
a threulio'r Nadolig efo fo a Grav.
Gawn ni fwyta drwy'r dydd
a chwarae gemau a gwisgo hetiau papur doniol.

O! Ma'n mynd i fod yn Nadoligtastic!

Yn ei gyffro fe blymiodd i boced ddofn côt fawr Mr Noel, yna ... BONC!

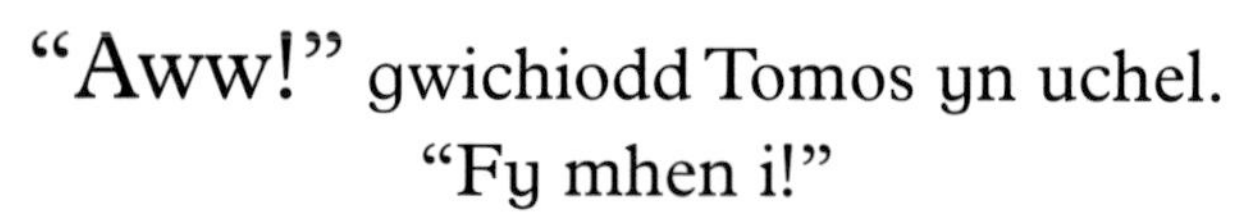

“Aww!” gwichiodd Tomos yn uchel.
“Fy mhen i!”
Roedd o’n gweld sêr achos roedd o wedi bwrw ei ben ar gylch mawr o oriadau trwm oedd yn gorwedd yna.

Ond roedd yn gweld sêr
go iawn, achos roedd un o'r
goriadau yn disgleirio,
gan lenwi'r boced â'r golau gloywaf
a welodd Tomos erioed. Beth ar y ...?

Yn sydyn, cododd y gôt
a dechrau symud.
Roedd hi'n amlwg bod
Mr Noel yn ei gwisgo
ac yn cerdded o'i ystafell
fach. Cerdded a cherdded,
i fyny ac i fyny ... Brrrrr!

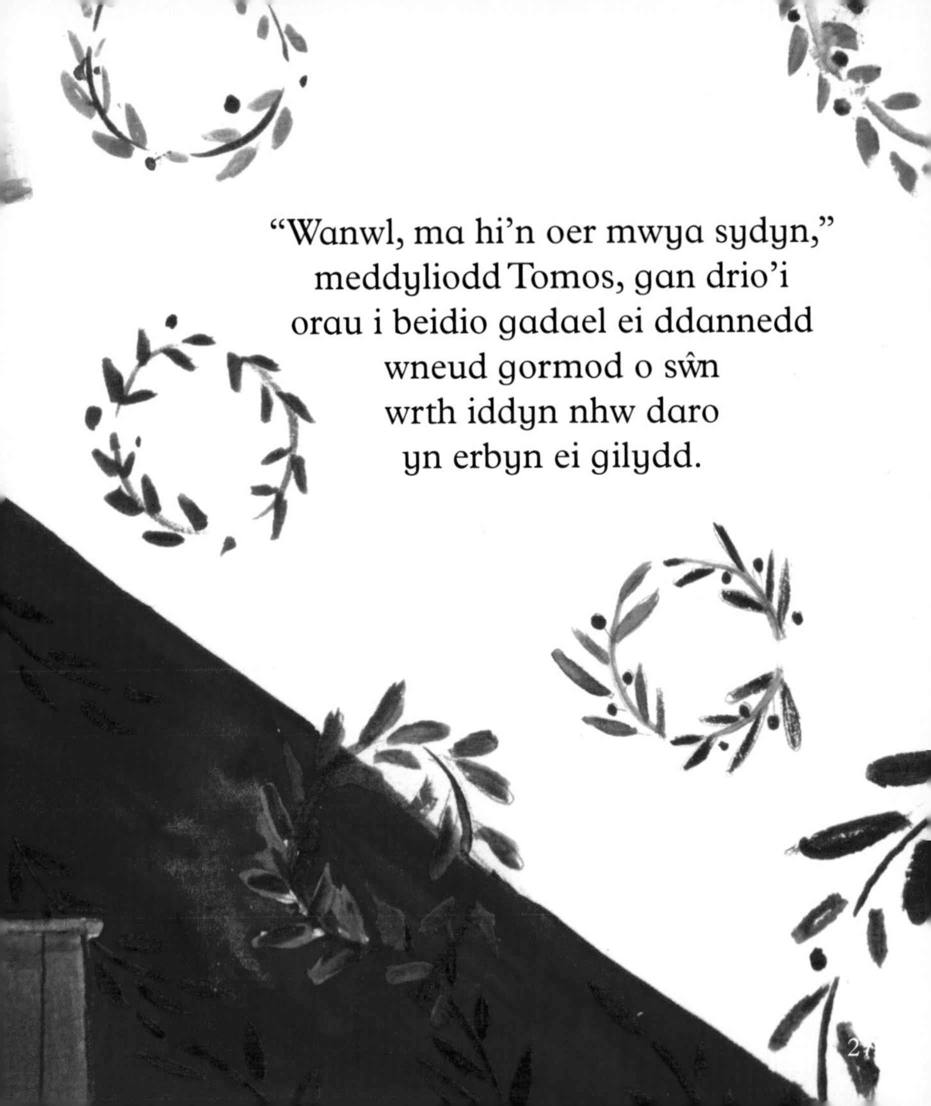

"Wanwl, ma hi'n oer mwya sydyn,"
meddyliodd Tomos, gan drio'i
orau i beidio gadael ei ddannedd
wneud gormod o sŵn
wrth iddyn nhw daro
yn erbyn ei gilydd.

Glaniodd rhywbeth ar ben Tomos.
Rhywbeth oer, gwlyb.

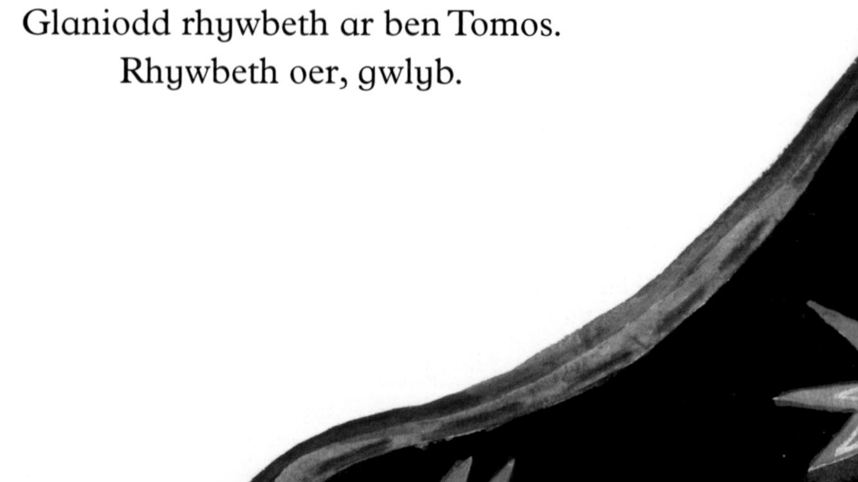

“Be ’di hwn? Dim ... dim pluen eira, ia?
Ia! Ond doedd hi’m yn bwrw eira gynna ...”

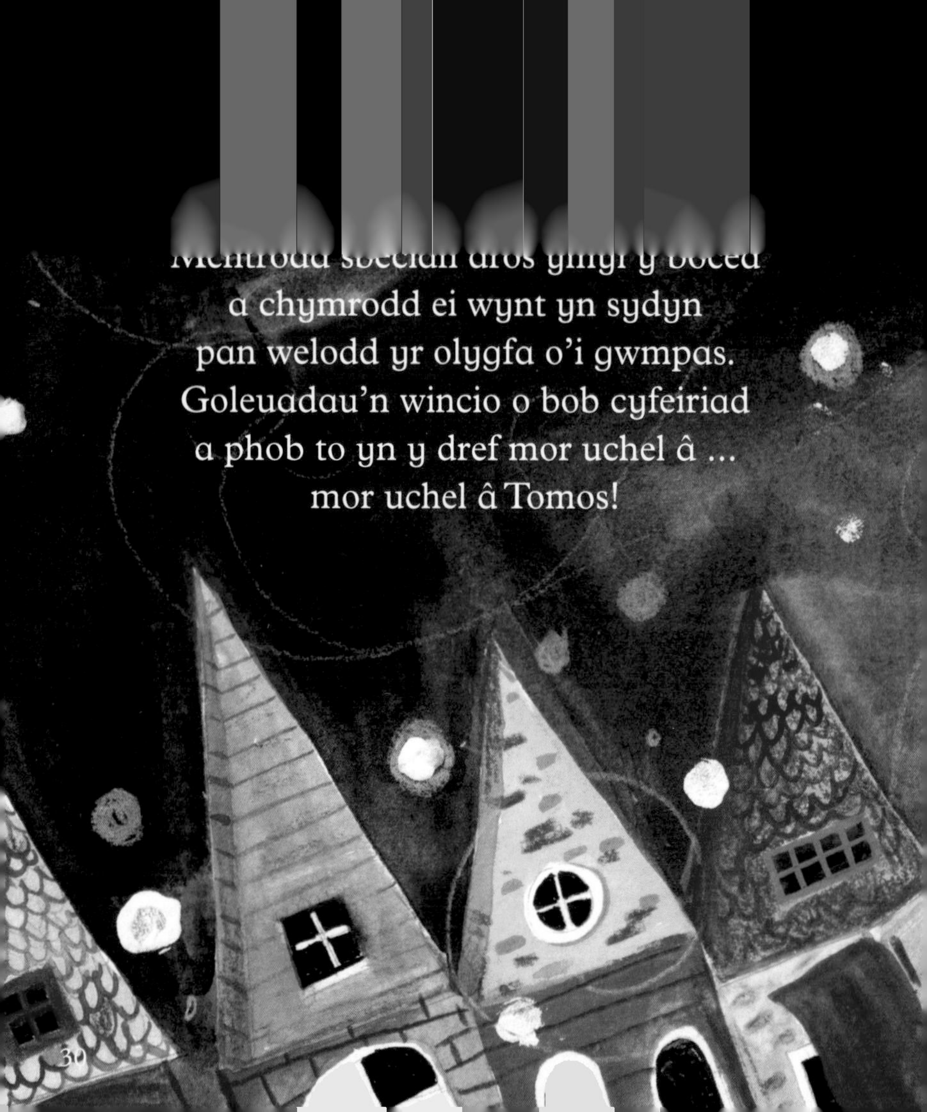

Mentrodd sbecian dros ymyl y boced
a chymrodd ei wynt yn sydyn
pan welodd yr olygfa o'i gwmpas.
Goleuadau'n wincio o bob cyfeiriad
a phob to yn y dref mor uchel â ...
mor uchel â Tomos!

"Pam mae Mr Noel ar ben y to?"

Roedd Tomos yn ymwybodol ei fod
yn siarad yn uchel, ond fyddai neb wedi
ei glywed achos roedd hi'n swnllyd
yn y boced 'ma, rhwng popeth
– goriadau'n taro yn erbyn ei gilydd
fel rhyw hen damborîn, dannedd Tomos
yn clecian fel rhywun yn teipio ffwl sbîd,
y gwynt yn udo y tu allan, a Mr Noel yn gweiddi.

"Wel, wel, wel. 'Co ni 'to. Shwd y't ti, boi?"

"Arhoswch funud ..." meddai Tomos wrth y goriadau (wel, doedd 'na neb arall i wrando arno fo, nagoedd?).

"'Dan ni ar ben y to, mae hi'n rhewi'n glonc ac yn bwrw eira ac mae Nr Noel yn siarad efo fo'i hun. Dwi'n meddwl mod i wedi bwyta gormod o Jeli Bêbis. Dwi wedi drysu'n lân."

Ac o nunlle clywodd lais arall.

"Wel helô, Noel bach.
Sut wyt ti'r hen gyfaill?"
Llais dwfn yn dod o gyfeiriad
y gôt goch a gwyn oedd
REIT yn wyneb Tomos yr eiliad honno.

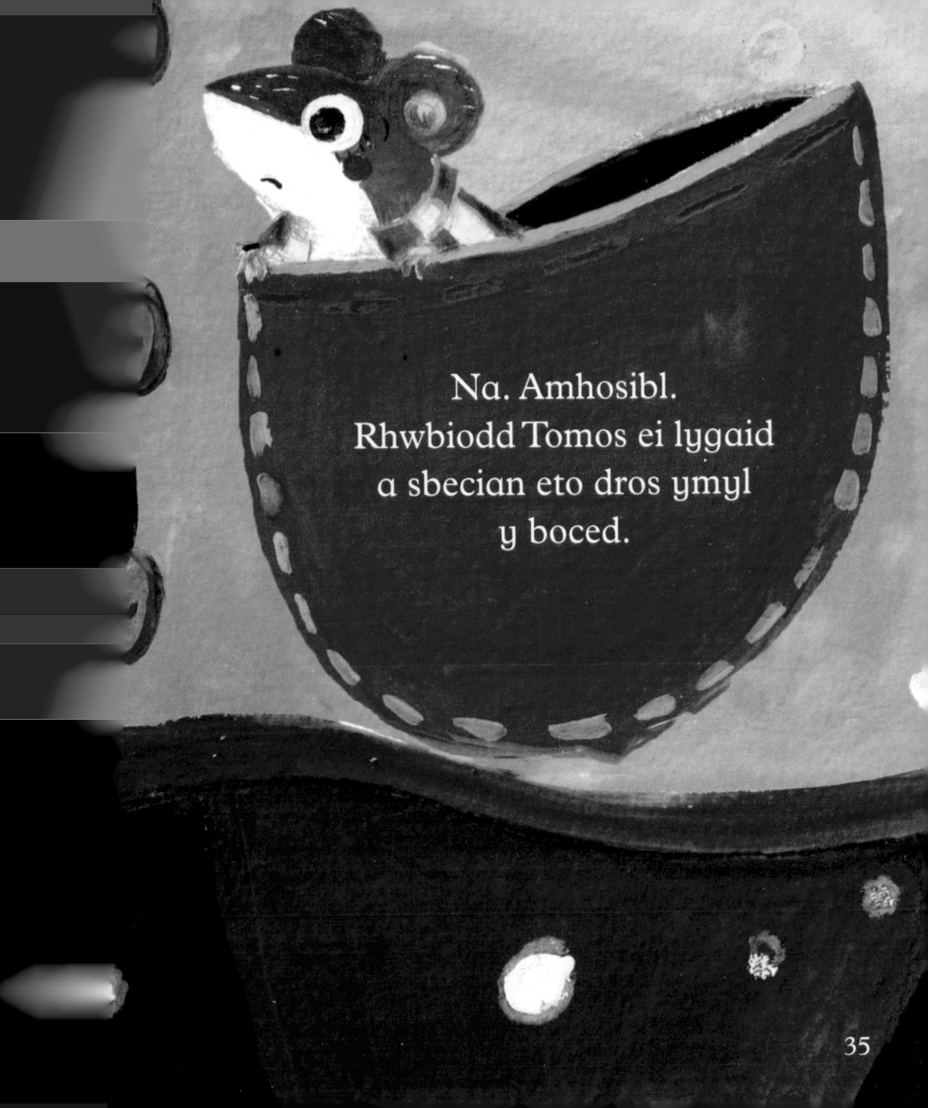

Na. Amhosibl.
Rhwbiodd Tomos ei lygaid
a sbecian eto dros ymyl
y boced.

Edrychodd ar y traed.
Esgidiau mawr duon, trowsus coch, melfed,
ffwr gwyn, mwy o felfed coch, gwregys lledr du
a chlamp o fwcl aur ar fol mawr,
barf hir gwyn, yna'r wyneb enwocaf
yn y byd i gyd!
Bochau cochion, llygaid caredig,
chwerthiniad iach, gwallt hir cyrliog gwyn
a het goch a gwyn ar ei ben.
Roedd Tomos yn edrych ar neb llai na
SIÔN CORN!

Roedd rhaid iddo roi ei law dros ei geg ei hun
rhag ofn iddo wichian mewn braw.

Un funud ... oedd hyn yn golygu bod
Mr Noel yn adnabod y dyn mawr?
Ac nid dim ond yn ei adnabod o
ond yn ffrindiau da efo fo?

"Diolch byth am
ffrind fel ti, Noel."
Ia. Ffrindiau.
Dyna be ddwedodd o,
"ffrind fel ti".

"Mae'r holl dai 'ma â'u gwres canolog
yn drysu pethau i mi'n ofnadwy.
Dwi wedi arfer hefo simneiau ers canrifoedd,
ond maen nhw'n mynd yn brinnach
bob blwyddyn, wsti."

"Wel, lwcus bod yr allwedd hud
'da fi ontefe ... neu bydde hi off 'ma!"
chwarddodd Mr Noel.

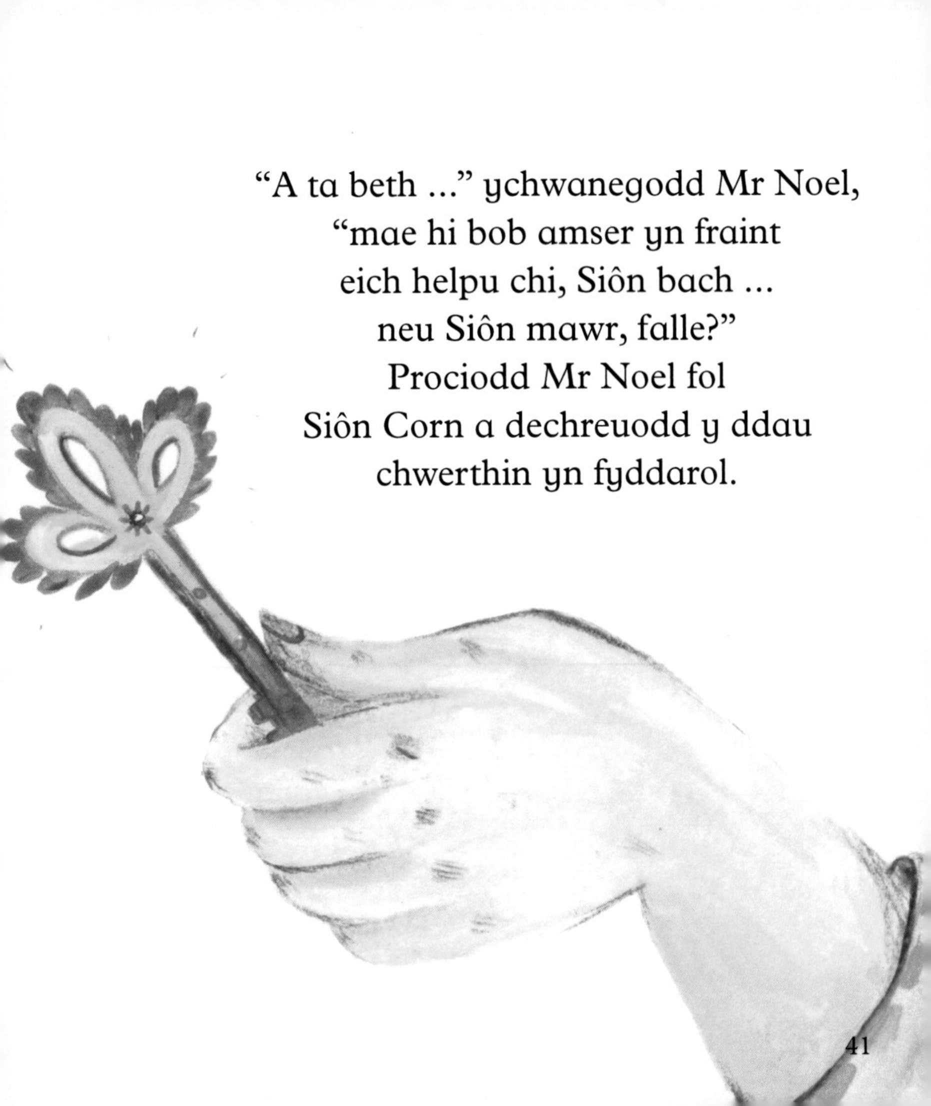

"A ta beth ..." ychwanegodd Mr Noel,
"mae hi bob amser yn fraint
eich helpu chi, Siôn bach ...
neu Siôn mawr, falle?"
Prociodd Mr Noel fol
Siôn Corn a dechreuodd y ddau
chwerthin yn fyddarol.

“Wyt ti’n barod ’ta, Noel?” meddai Siôn Corn.

“Odw i!” atebodd Mr Noel.
“Ewn ni ’te?”

Roedd meddwl Tomos yn ffrwydro.
Mr Noel oedd yn gyfrifol
am y goriad hud oedd yn galluogi
Siôn Corn i fynd i mewn i dai heb
simneaaaaaaAAAAAAAAAAA ...
WWWSHHH!

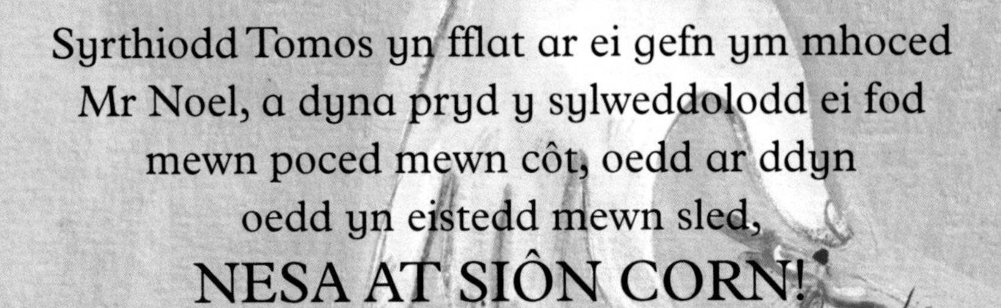

Syrthiodd Tomos yn fflat ar ei gefn ym mhoced
Mr Noel, a dyna pryd y sylweddolodd ei fod
mewn poced mewn côt, oedd ar ddyn
oedd yn eistedd mewn sled,

NESA AT SIÔN CORN!

Stryffagliodd Tomos i godi ei hun ddigon i edrych dros ymyl y boced. Roedd yn hedfan drwy'r awyr uwchben y theatr a'r siopau, y ganolfan hamdden a'r sinema, y swyddfeydd a'r ysbyty nes cyrraedd y tai ... yn Awstralia!

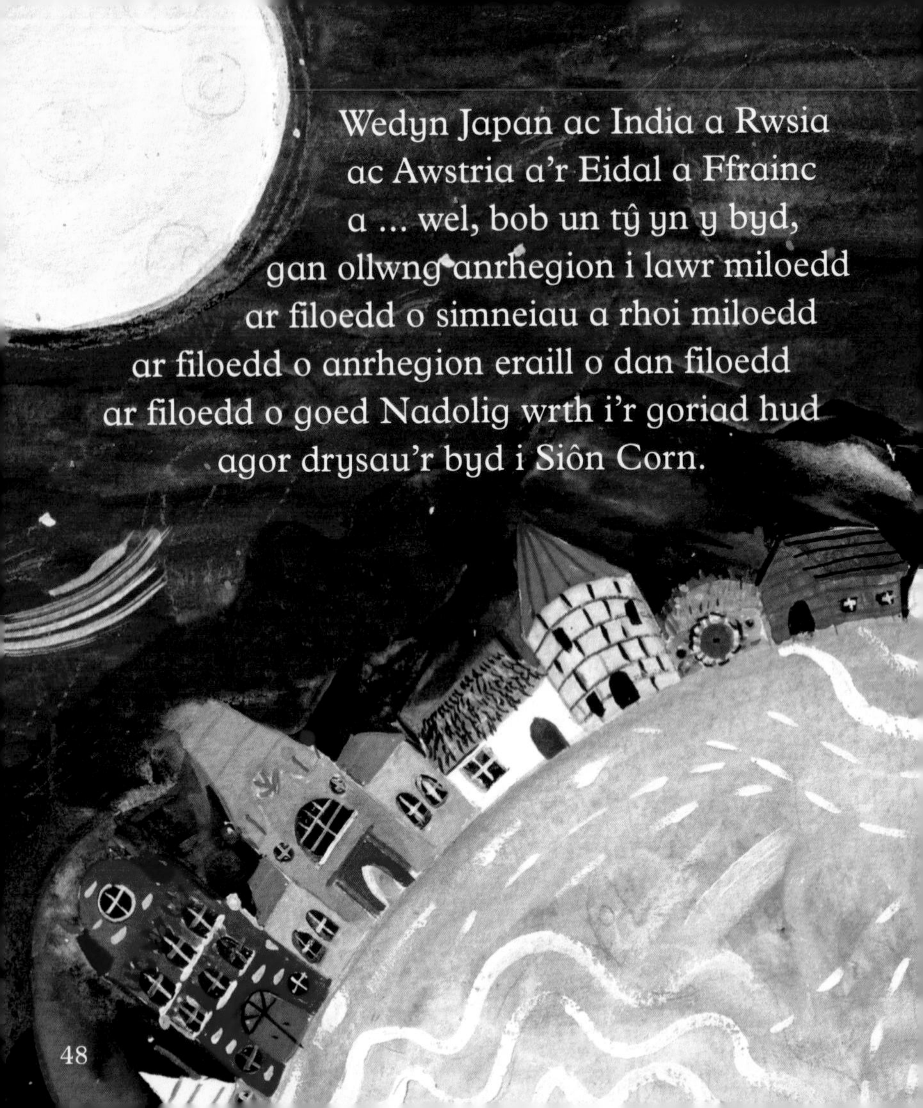

Wedyn Japan ac India a Rwsia
ac Awstria a'r Eidal a Ffrainc
a ... wel, bob un tŷ yn y byd,
gan ollwng anrhegion i lawr miloedd
ar filoedd o simneiau a rhoi miloedd
ar filoedd o anrhegion eraill o dan filoedd
ar filoedd o goed Nadolig wrth i'r goriad hud
agor drysau'r byd i Siôn Corn.

Hon oedd y noson ryfedda erioed!

Yn sydyn, cafodd Tomos
un o'r syniadau 'na eto.
Roedd y sled wedi stopio o flaen
hen dŷ mawr pren yn yr Alpau,
a gallai Tomos weld Mr Noel yn cerdded
tuag at ddrws oedd yn gloeon i gyd.

"Wi'n credu bydda i sbel fach
fan hyn, Siôn Corn," sibrydodd Mr Noel.

"Dim brys, Noel," atebodd Siôn Corn. "Mond Unol Daleithiau'r America, Canada, gwledydd De America, ac Ynysoedd y Caribî sydd ar ôl ... o, a Chwm Twrch. Uchaf. Mae ganddom ni drwy'r nos."

Doedd gan Tomos ddim syniad sut oedd hyn i gyd yn gweithio, ond roedd rhaid iddo achub ar y cyfle i roi ei syniad ar waith. Dringodd allan o'r boced ac i fyny braich Siôn Corn at ei ysgwydd.

"Ym ... esgusodwch fi ... ym ... chi 'di Siôn Corn, ia? Wel, ia siŵr. Drychwch arnoch chi ... côt goch, sled ... ym ..." O diar, doedd hyn ddim yn mynd yn dda iawn. Roedd Tomos druan wedi mwydro'n lân ond chwarae teg, nid BOB dydd mae rhywun yn dod wyneb yn wyneb â Siôn Corn, nage?

"Wel, wel, Tomos. Tomos Llygoden y Theatr. Dyma fraint!" atebodd Siôn Corn yn garedig. "Dwi wedi darllen am dy helyntion di i gyd, a dyma ti yn y cnawd!"

Safodd Tomos yn stond ar ysgwydd
Siôn Corn. Roedd ei geg ar agor
a'i lygaid fel soseri, a phetai'r awel
leiaf wedi dod heibio, byddai wedi
chwythu Tomos yn fflat ar ei gefn.

"Mi o'n i'n rhyw synhwyro bod gan
Noel a finna gwmni heno.
Dwi'n siŵr i mi weld top dy glust bach
del di'n sbecian dros ymyl
poced Noel. Arhosa di funud bach
rŵan i mi gael dweud wrth Noel
dy fod ti yma."

"Na! Plis, Siôn Corn," dywedodd Tomos mewn tipyn o banig. "A' i 'nôl i guddio rŵan achos dwi'm isio iddo fo wybod 'mod i yma, ylwch. A beth bynnag, dwi wedi cael syniad ac mi faswn i wrth fy modd, eich mawrhydi ... ym ... Syr ... ym ..."

"Neith Siôn yn iawn, wsti," meddai Siôn Corn dan wenu.

"Reit, wel, fysech chi'n fodlon fy helpu i plis ... Siôn?" gofynnodd Tomos yn nerfus.

"Wel wrth gwrs! Be ga i neud i ti, washi?"

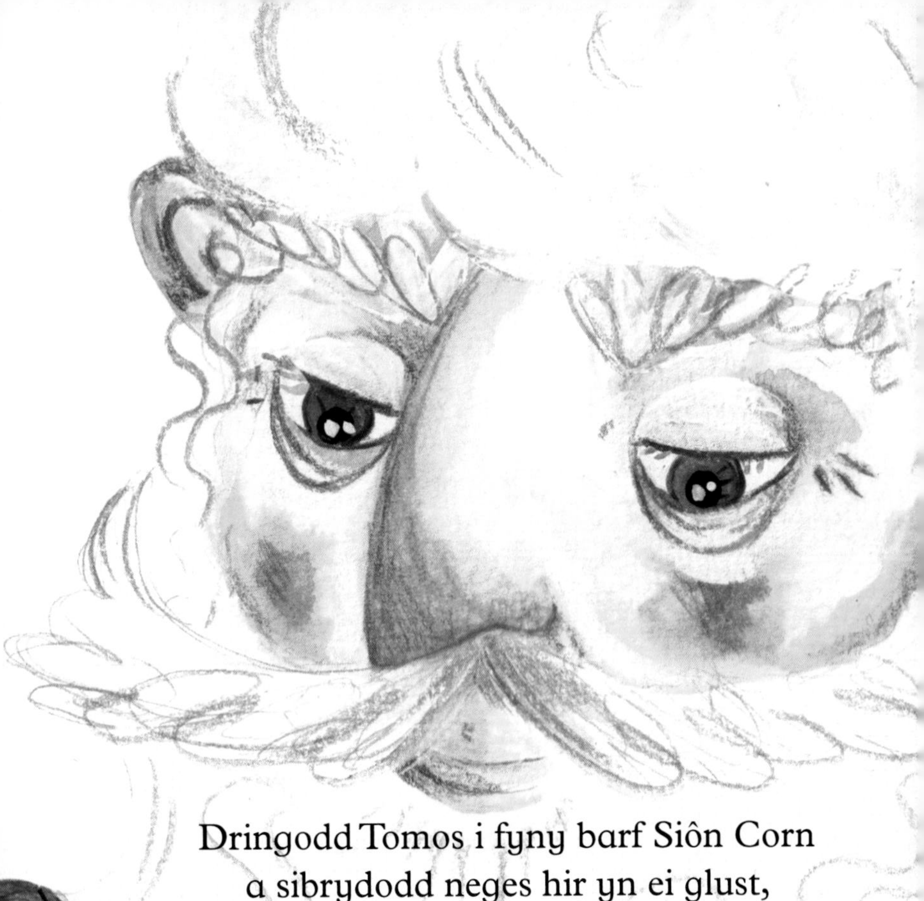

Dringodd Tomos i fyny barf Siôn Corn
a sibrydodd neges hir yn ei glust,
ac wrth iddo sibrwd, lledodd gwên enfawr
dros wyneb rhadlon Siôn Corn.

"Tomos, rwyt ti'n ffrind da i Noel.
Paid â phoeni, mi wna i'n siŵr
y ceith o Nadolig i'w gofio.
Ond yr anrheg orau iddo fo
fydd dy gael di yn gwmni.
Ti werth y byd yn grwn
ac rwyt ti a Noel mor garedig.
Mae hynny'n bwysicach
na dim arall, wyddost ti."

Fore trannoeth, deffrodd Noel
yn ei fwthyn bach a chodi er mwyn
gwneud tamaid o frecwast.

Wrth iddo ddod i lawr y grisiau,
daeth yr arogleuon a'r synau mwyaf hyfryd
i gwrdd ag o – arogl twrci'n rhostio
a sŵn llysiau lliwgar blasus yn ffrwtian.

Ond doedd o ddim yn gallu credu'r olygfa
o'i flaen. Roedd addurniadau Nadolig
a goleuadau bychain ym mhob man.
Roedd y bwthyn bach yn edrych yn fendigedig,
ac yn y gornel roedd yna goeden Nadolig
oedd bron â chyffwrdd y to.

O'i hamgylch roedd anrhegion
o bob lliw a llun, ac ar ei phen,
mewn ffrog fach tylwyth teg,
roedd ... TOMOS!

“Nadolig Llawen, Mr Noel!” gwaeddodd cyn rhedeg i lawr y canghennau.

Doedd Mr Noel ddim yn gwybod
a ddylai chwerthin neu grio.
Roedd o mor hapus!

“Shwt ar y ddaear ...?” gofynnodd Mr Noel.

“Dio’m ots am hynna rŵan.
Ma hi’n ddiwrnod Nadolig ac mae hyn i gyd
am eich bod chi’n un o fil ac yn haeddu
cael eich sbwylio’n rhacsjibidêrs.
Reit, lle mae’r mins peis ’na ...”

Wrth i Tomos redeg i'r gegin i nôl y mins peis, sibrydodd "Diolch, Siôn Corn!" o dan ei wynt ac fe oleuodd y goriad hud oedd yn gorwedd ar y cwpwrdd am eiliad fach, jest i ddangos bod Siôn Corn wedi ei glywed.

Cafodd Tomos a Mr Noel y Nadolig gorau erioed yn bwyta drwy'r dydd, chwerthin, chwarae gemau, gwisgo hetiau papur doniol, ac yna cysgu'n sownd drwy'r prynhawn.

On'd ydi o'n rhyfeddol be sy'n digwydd os ydach chi'n garedig wrth eraill, dwedwch?

Y Gyfres

Cadwch lygad yn agored am deitlau eraill
yng nghyfres Tomos y Llygoden pan fydd
ein ffrind bach annwyl yn cyfarfod
llawer mwy o gymeriadau lliwgar!